KB096487

깊은 데로 가라

토브 여익구 지음

여익구

사회복지학박사
교육가 / 시인
신도봉교회 장로
신한대학교평생교육원 교수
서울 폴리텍평생교육원 교육 이사
하회버들詩 문학연구원창작 위원장
열린동해문학 연구 자문위원

깊은 데로 가라

발 행 | 2023년 08월 15일
저 자 | 토브 여익구
펴낸이 | 한건희
펴낸곳 | 주식회사 부크크
출판사등록 | 2014.07.15.(제2014-16호)
주 소 | 서울특별시 금천구 가산디지털1로 119 SK트윈타워 A동 305호
전 화 | 1670-8316
이메일 | info@bookk.co.kr

ISBN | 979-11-410-3898-4
www.bookk.co.kr

깊은 데로 가라

토브 여익구 지음

CONTENT

2023년 한해를 맞이하여 주신 주님의 부르심을 글로 남겨 흘러 보내여 합니다.

깊은 통찰력과 은혜를 구하옵니다. 주님 온전히 바라보게 하시옵소서

"말씀을 마치시고 시몬에게 이르되 깊은데로 가서 그물을 내여 고기를 잡으라"(누5:4)

'깊은데로 가라'는 말씀의 표지를 2023년 주심으로 한해를 시작합니다.

여호와께서 태에서부터 우리를 부르셨고 지금도 여전히 우리를 보고 계시는 하나님을 바라보게 하심에 감사를 드립니다. 말씀을 받을 때 자신을 부인하며 세상적인 것에서 조금 때기를 원합니다. 이 내러티브한 노트에 함께 하옵소서

습관적으로 육지에서 떼어 기도하시는 주님을 보고 주님의 말씀을 상고 합니다.

주님과 내 자신과의 관계가 말씀의 터 위에 완전히 회복 되고 인격적으로 교제하는 귀한 한해가 되게 하여 주시옵소서

마음 밭에 말씀을 심어주시며 저에게 주신 익숙하지만 낯선 명령이라 할지라도 분별의 영을 주시어 순종하는 자신이 되게 하여 주시옵소서, 갈등과 염려 가운데 에서도 순종하고, 수고하여 잡은 것이 없지만은 말씀에 순종하게 하여 주시옵소서, 그럼으로 말미암아 구하고 생각하시는 것 이상 능히 넘치게 주시는 주심의 터치를 느끼는 귀한 2023년 의 삶을 살아가게 하여 주시옵소서.   삼위 하나님께 영광을 올립니다.

제1화 1월묵시

예수께서 한 배에 오르시니 그 배는 시몬의 배라 육지에서 조
금 떼기를 청하시고 앉으사 배에서 무리를 가르치시더니
(눅5:3)

(육지에서 조금 때니)

육지에서 조금때니
평온한 마음이 달콤하게 깃든다.
참새들의 지저귐이 들린다

육지에서 조금때니
따스한 햇살이 웃음을 머금게 한다.
고마운 마음 물밀 듯 찾아온다

육지에서 조금 때니
천지만물을 창조하신 이의 소리가 들린다
너는 내 사랑하는 아들이라

말씀을 마치시고 시몬에게 이르시되 깊은 데로 가서 그물을
내려 고기를 잡으라 (눅5:4)

(깊은 데로 가라)

광야 가운데 있게 하는 이유가 무엇일까
깊은 데로(가나안) 가기 위함 일까
깊은 곳은 순종의 시험을
지나야 볼 수 있는 것일까

깊은 순종은 무엇일까
아마도 갈등, 힘듦 가운데에서도
순종하는 것이겠지

순종은 익숙하지만
낯선 명령을 따르는 것이라는데
깊은 묵상이 나를 감싸네

그렇게 하니 고기를 잡은 것이 심히 많아 그물이 찢
어지는지라 (눅5:6)

(그렇게 하니)

그렇게 하니
새벽녘의 상쾌한 공기 내음
아침의 따스한 햇살,
귓가에 스치는 바람 소리
창조주의 터치를 느끼게 하네

그렇게 하니
부유하고 풍성한
마음 가운데 있게 하네

그렇게 하니
뿌듯하고 신나는 멋진 하루가
기대되는 마음으로 벅차네
그렇게 하니 결국은 나를 비우게 하는구나

항상 기뻐하라, 쉬지 말고 기도하라, 범사에 감사하라
 (데전 5:16~18)

(감사)

구별된 삶을 하나님께 드릴 수 있는
나실인의 택한 백성의 삶을
주신 주님 감사

감사는 최고의 영적 미덕이며 예배이네

감사로 회복할 수 있는
마음을 주실 수 있도록 기도 합니다.
동행하는 복을 주심에 감사

왕같은 제사장의 직분을 주신 은혜에 감사
광야의 공동체로 변하게 하심에 감사
감사는 회복, 축복으로 이어지네

구름이 성막위에 머무는 날이 오랠 때에는 이스라엘 자손이
여호와의 명령을 지켜 행진하지 아니하였으며 (민 9:19)

(보는 소망)

구름기둥 불기둥을
보게 하옵소서

늘 깨어 구름기둥 불기둥을
보고 있게 하옵소서

말씀을 듣게 하옵소서
장막을 언제든지 옮길 수 있는
깊은 영적 통찰력과 힘을 주옵소서

이틀이든 일 년이든
주신 명령에
순종하게 하옵소서

은 나팔 둘을 만들되 두들겨 만들어서 그것으로 회중을 소집
하며 진영을 출발하게 할 것이라 (민 10:2)

(듣는 소망)

은 나팔소리에 귀 기울이고
듣게 하옵시고

작은 소리 큰소리를
구별하게 하옵소서

말씀에 온전히 귀 기울임으로
주님 기뻐하는 삶 살게 하옵소서

말씀의 나팔, 기도의 나팔,
사역의 나팔, 치유의 나팔
소리를 듣기 하옵소서

궤가 설 때에는 말하되 여호와여 이스라엘 종족들에게로 돌아
오소서 하였더라 (민10:36)

(행하는 소망)

언약궤와 장막을 통하여
쉴 곳으로 행하시고 인도하소서

하나님의 임재와 말씀을 바라보며
동행하게 하옵소서

광야 생활의 중심이
예배가 되게 하옵소서

광야의 시간이 인격적인
교제의 시간이 되게 하옵소서

하나님의 성막 없이 갈 수 없는 광야,
광야 가운데 주님 항상 계시니 소망이 됩니다.

아브라함과 다윗의 자손 예수 그리스도의 계보라 (마 1;1)

(계보)

역사를 주관하시며
하나님의 일하심을 보게 됩니다.

하나님의 살아계심과 주권 가운데
나를 택하여 주심에 감사하며

지금도 앞으로도 역사 하실 것임에
기대와 소망을 갖게 하심에 감사를 드립니다.

하나님의 약속은 그리스도 안에서
예 가 되고 현실이 되며
다시 오실 예수님을 소망 합니다.

보라 처녀가 잉태하여 아들을 낳을 것이요 그의 이름은 임마누엘이라 하리라 하셨으니 이를 번역한즉 하나님이 우리와 함께 계시다 함이라. (마 1:23)

(임마누엘)

우리와 함께 하시기 위해
오신 임마누엘의 예수님

헤롯 왕이 아닌
동박 박사들이
되게 하여 주옵소서

본질상 진노의 자녀였던 저희
태에서부터 과거, 현재, 미래의
죄값을 사하시기 위해 나사렛으로 오신 주님

구원 받았지만
죄인인 우리를 지금도
중보하시고 계시는 주님 사랑합니다.

집에 들어가 아기와 그의 어머니 마리아가 함께 있는 것을 보고 엎드려 아기께 경배하고 보배합을 열어 황금과 유향과 몰약을 예물로 드리니라. (마 2:11)

(예물)

황금 유향 몰약의 예물을 드린
동방박사 되게 하옵소서

황금(보물)이 있는 곳에
마음이 있다하신 주님께

유향(좋은냄새, 악취제거)을 드림으로
죄악들을 대속해 주신 주님

몰약(방부제)을 드림으로
한줌의 흙으로 썩어 없어질 인간의 육체를

영원히 썩지 않게
그리스도와 연합하게 하신 주님께

천국에서의 영생을 소망하며
마음을 드리게 하소서

회개하라 천국이 가까이 왔느니라 하였으니, 그는 선지자 이사야를 통하여 말씀하신 자라 일렀으되 광야에 외치는 자의 소리가 있어 이르되 너희는 주의 길을 준비하라 그가 오실 길을 곧게 하라 하였느니라 (마3:2~3)

(외치는 소리 세례요한)

구약의 끝자락 오실 메시야의 대한 증언자
낙타털을 입고 메뚜기와 석청을 먹으며 주의 길을 예비한자
죄악된 세상에 생명의 소리가 들린다.

회계하라 천국이 가까이 왔느니라
예수님이 오실 길을 예비하고 죄의 회계를 전하니

헤롯의 부도덕함을 알리니 미움에 잡혀
기분풀이에 목이 잘려 순교의 소반잔에 담기네

여인이 난자 중에 가장 큰자
가슴에 울리는 광야의 소리
지금도 귓가에 들리네

예수님께 직접 물의시니 실족하지 않는자는 복이 있다 하시네
실천적인 메신저 하나님나라는 결코 실족하지 않는다 하시네

갈릴리 해변에 다니시다가 두 형제 곧 베드로라 하는 시몬과 그의 형제 안드레가 바다에 그물 던지는 것을 보시니 그들은 어부라 말씀하시되 나를 따라오라 내가 너희를 사람을 낚는 어부가 되게 하리라 하시니 (마4:18~19)

(사람을 낚는 어부)

창세전부터 택하시고
태에서부터 보셨는데
어부라

목적도 의미도 없는
인생을 살아가는 순간
말씀이 나를 이끄네

연약하고 보잘 것 없는
나를 주님 이끄시네
사람을 낚는 어부가 되라고
주님 택하셨으니 제자가 되렵니다.

복이 있는 사람(눅6:20~23) 예수께서 무리를 보시고 산에 올라가 앉으시니 제자들이 나아온지라 입을 열어 가르쳐 이르시되(마5:1~2)

(산상수훈)

예수 팔복은
모세 십계명을 완성하는 명령

삼위일체 하나님과 동행하는 균형잡힌 삶
하나님의 임재안에 천국을 누리는 삶

십계명을 통하여
팔복으로 사는 삶
십계명을 통하여
예수님의 인격으로 사는 삶

십계명. 산상수훈은
진리의 다림줄 이라

팔복은 완전하게 하는 천국 복음
거룩한 행동에 그치지 말고
거룩한 존재가 되라는 것이네
선한 행동이 아니라 선한 사람이 되라고

너희는 세상의 소금이니 소금이 만일 그 맛을 잃으면 무엇으로 짜게 하리요 후에는 아무 쓸 데 없어 다만 밖에 버려져 사람에게 밟힐 뿐이니라. 너희는 세상의 빛이라 산 위에 있는 동네가 숨겨지지 못할 것이요 (마5:13~14)

(소금, 빛)

존재의 의미로 율법 폐하러 온 것이 아니라
완성하러 오신 빛
우리는 이미 소금이고 빛 이라네
이미 하나님 나라 가운데 있다네

빛이기에 숨겨지지 못 한다네
빛이기에 착한 행실가운데 영광의 빛을 보내네
참 생명의 빛이신 예수의 모범을 따르리라

부패한 세상을 깨끗게 하라 하시네
내면의 청결함을 가지라 하네
세상과 썩이지 않는 소금 되게 하소서

복음에는 우리들에게 경고를 주네 빛 과 소금이 되라고
행동 뒤에 있는 마음을 보라고
행하지 않으면 소금이 썩음 되고, 빛이 빗이 된다고
그리스도인으로서 사회적 사명 감당하라 하시네

항상 기뻐하라, 쉬지 말고 기도하라, 범사에 감사하라
 (데전 5:16~18)

(감사)

구별된 삶을 하나님께 드릴 수 있는 나실인의 택한 백성의 삶
을 주신 주님 감사
감사는 최고의 영적 미덕이며 예배이다.
감사로 회복할 수 있는 마음을과 동행하는 복을 주심에 감사
왕같은 제사장의 직분을 주신 은혜에 감사
광야의 공동체로 변하게 하심에 감사
감사는 회복, 축복으로 이어진다
감사는 좋게 보는 것이 아니라 바로 보는 것
감사는 생명이 선물인지 아는 것
감사하면 사는 것이 섬세해 진다
감사는 당연한 것이며 가진 것을 체험하고 누리게 됨
감사는 익숙하지만 낯선 것
감사는 상기 시켜주는 눈
감사는 끝이 없는 것
감사는 광야가 천국으로 변하는 것
감사는 안식 하는 것
감사는 예배의 본질이다
감사는 밑줄을 긋는 것이다.
감사는 축복이며, 관계의 회복이다.
감사는 함께 살아가며, 돕는 관계에 있는 것이네

제2화 2월 묵시

금식할 때에 너희는 외식하는 자들과 같이 슬픈 기색을 보이지 말라 그들은 금식하는 것을 사람에게 보이려고 얼굴을 흉하게 하느니라 내가 진실로 너희에게 이르노니 그들은 자기상을 이미 받았느니라 (마6:16)

(외식과 진실)

외식은 위선 된 겉모습 포장이라
외식은 헛됨 맹세이며 꾸며낸 말
외식은 되 받아치는 썩은 삶

진실은 다림줄을 온전히 붙잡는 것
진실은 깊은 데로 가는 것
진실은 겸손의 종의 삶
진실은 빛과 소금

우리의 마음을 보고 내면을 청소하라
나는 못 하지만 주님이 하십니다.
우리가 창문, 거울이 되어 바라보아야.

그러므로 누구든지 나의 이 말을 듣고 행하는 자는 그 집을
반석 위에 지은 지혜로운 사람 같으리니 (마태 7:24)

(반석 위의 집)

하나님 나라는 먹고 마시는 것이 아니라
성령 안에서 의와 평강과 희락이 넘치는 것이라

하나님의 편안은 행하는 것이 아니라
하나님을 아는 것에 있음이라

나의 옛 본성을 하나님의 마음으로 변해가는 것
내 인생을 반석 위에 재건축 하는 것
내안에 문을 열고 예수 그리스도를 바라보는 것

더불어 함께 살아가는 포도나무와 가지의 관계
내안의 인격이 하나님을 모시고
하나님을 아는 것에 함께 함으로
하나님 나라를 완성하는 것 반석 위의 집이라

나병환자, 백부장의 하인, 베드로장모 열병, 귀신 들린자
(마태8:1~9:13)

(많은 사람들을 고치시다)

질병, 고통, 환경을 지배하신 주님
악한 영의 시험을 말씀으로 이기시네

육체의 법을 따르는 것은 모래 위의 집
성령의 법을 따르면 반석 위의 집이라네

출렁이는 부정, 혼돈, 악, 심판의 파도를
잠잠하라 명 하시네.

악한 영의 시험을 말씀으로 고치시는
주님의 은혜 고마워라

인자가 세상에서 죄를 사하는 권능이 있는 줄을 너희로 알게 하려 하노라 하시고 중풍병자에게 말씀하시되 일어나 네 침상을 가지고 집으로 가라 하시니(마태 9:6)

(중보기도 하다)

죽을 영혼을 위한 천정을 뚫는
네 명의 다림줄의 중보기도
죄사함을 받네

네 침상을 가지고
집으로 가라 하시네

강력한 권능의 음성을 믿고
벌떡 일어났다네

권세 받은 이
하나님께 영광을 돌리네

예수께서 마태의 집에 앉아 음식을 잡수실 때에 많은 세리와
죄인들이 와서 예수와 그의 제자들과 함께 앉았더니
(마태 9:10)

(죄인 마태의 고백)

돈의 욕심에 폭리의 세금을 거두는 세리 마태
주님이 나를 따르라 하시네

손가락질과 삿대질, 조롱을 그만 받고
수치를 버리고 나를 따르라 하네

죄와 허물 가운데 있는 나에게 복음을 주시니
주님 내 집에 오셔서 음식을 드소서

건강한 자에게 무슨 의사가 필요하랴
영혼에 죄악의 바이러스로 가득찬 나

주님의 은혜 아니면 회복할 수 없네
세리 마태라 고백한 마태
죄인으로 낮춘 제자 마태
복음서의 첫 장 마태복음
자기부인이 하나님께 영광 돌리는 행복이라네

심령이 가난한 자는 복이 있나니 천국이 그들의 것임이요
(마태 5:3)

(심령이 가난함을 주소서)

항상 가난하게 항상 굶주리게 하소서
마음이 가난한 자가 되게 하소서
심령에 갈망과 갈급함을 주소서
심령에 애씀과 노력이 있게 하소서

심령의 정제된 가난함을 허락하셔서
외식하는 삶을 새롭게 하셔서
진실함 삶을 새가죽 부대에 담게 하소서

가난한 마음의 행복을 깨달아
참 기쁨이 있음을 체험케 하소서
생명의 끝자락이 죽음임을 깨달아
영원한 천국 백성으로 복음의 발자국을 걷게 하소서

하나님 나라에 굶주리게 하소서
천국을 놓치면 세상 누림도 놓치는 것
천국을 사모하게 하소서
심령이 가난한 자의 복 마카리오스를 누리게 하소서

* 마카리오스 : 축복

그들을 두려워 하지말라 감추인 것이 드러나지 않을 것이 없고 숨은 것이 알려지지 않을 것이 없느니라. (마태 10:26)

(두려워할 분을 두려워하라)

365일 두려워 말라
너를 떠나지 아니하며
버리지 아니하시는 주님

두려워 말라
떨지 말라
여호와가 함께 있을 것이라

두려워 하지 말라 내가 너와 함께 함이라
그러기에 군사다움을 회복하자
두려움을 넘어뜨리기에 두려워하지 말라

세례 요한의 때부터 지금까지 천국은 침노를 당하나니 침노하
는 자는 빼앗느니라 (마태 11:12)

(침노하는 자)

천국은 침노하는 자의 것이라
하나님 나라는 침노해야 한다

열심히 들어가야 함이라
침노하는 자는 빼앗는 것이라

세례요한의 천국 침노 시작되네
복음의 힘으로 천국을 빼앗네

침노하는 자는
복음을 전하는 자라네

나는 자비를 원하고 제사를 원하지 아니하노라 하신 뜻을 너희가 알았더라면 무죄한 자를 정죄하지 아니하였으리라
(마태 12:7)

(자비)

안식일에 행한 일이
자비의 근거라네

사랑의 가치는
자비로 나타나네

율법의 법보다 중요한 것이 자비라네
율법의 중요한 가치는 자비이지

멍에의 가벼움은 사랑의 자비 때문
이웃사랑은 자비의 발로일세,

예수께서 그들의 생각을 아시고 이르시되 스스로 분쟁하는 나라마다 황폐하여질 것이요 스스로 분쟁하는 동네나 집마다 서지 못하리라 (마태 12:25)

(바알세불)

사탄의 대장 바알세불
사탄이 사탄을 쫓아내므로
분열과 파멸을 자초하네

유혹 가운데 틈, 험담, 다툼이 분열을 일으키네
악독한 말로 상처 난 마음조차 후비니
마귀는 연약함을 도우지 않는구나

영을 위해 육신을,
육신을 위해 영을
영육의 공존이 유익이네

입 다물고 기도하는 것이
삼위 하나님을 하나 되게 하는 것이라
사단 마귀 유혹분별은
성령을 모시고 그 인도하심 따라 살아가는 것이네

예수께서 대답하여 이르시되 악하고 음란한 세대가 표적을 구
하나 선지자 요나의 표적밖에는 보일 표적이 없느니라.
(마태 12:39)

(표적 구하는 어리석음)

이미 수많은 증거를 보여주었는데
흠과 트집을 잡아 죽이려는 악한세대의 어리석음
악하고 음란함이 신뢰를 깨는 것이라

표적이 없으면 조롱하는 권세 탐하는 자들
요나의 표적을 꼭 보여야 믿을까

물속에서 보여주었는데
땅속에서 또 보여 줘야 하는 어리석은 자

참된 표적은 주님의 사랑을 경험하고 체득하는 것
십자가의 사랑이 내 것이 되어야겠네

좋은 땅에 뿌려졌다는 것은 말씀을 듣고 깨닫는 자니 결실하여 어떤 것은 백배, 어떤 것은 육십배, 어떤 것은 삼십배 가되느니라 하시더라 (마태 13:23)

(씨부리는 비유)

인생살이 길가 밭, 돌밭, 가시덤불, 옥토 선택은 자유
길가 밭 쉽게 생각하니 있는 것도 빼앗기네

돌 짝밭 금방 새싹이나 좋아 하더니
바람에 꺾이는구나

가시덤불 잘 숨었다 생각했는데
해빛 없어 열매 못 맺네

옥토에 뿌린씨 아멘 아멘 하니 삼십배 백배로구나
가라지 덧뿌려도 불살음 당하네

인생사 공평한 물과 햇빛 주나
강제로 열매 맺게 하지 않네

완악한 마음은 들을 귀가 없게 하고
겸손한 마음 들음의 복으로 말씀의 씨앗을 발하게 하네

좋은 땅에 뿌려졌다는 것은 말씀을 듣고 깨닫는 자니 결실하여 어떤 것은 백배, 어떤 것은 육십배, 어떤 것은 삼십배가 되느니라 하시더라 (마태 13:23)

(옥 토)

내 성품이 옥토가 되고 싶네
부드럽고 찰진 주님의 손길 느끼며
아멘으로 씨앗을 받아들이네

비바람이 치나, 태풍이 불어와도
불기둥, 구름기둥 따라 은 나팔 소리 들으며
마음에 겸손히 씨뿌리네

내 성품 옥토가 되고 싶네
닫힌 마음 돌짝밭 거두고
심술 불평 많은 가시덤불 던져
의와 평강과 희락의 열매 맺으리

이른비와 늦은비 내리니
새벽이슬 백향목 뿌리내려 백합화 피네
시절마다 시절마다 열매 맺고 싶네

천국은 마치 사람이 자기 밭에 갖다 심은 겨자씨 한 알 같으니 이는 모든 씨보다 작은 것이로되 자란 후에는 풀보다 커서 나무가 되매 공중의 새들이 와서 그 가지에 깃들이느니라
 (마태 13:31~32)

(겨자씨와 누룩)

무지한 우리에게 비유로 깨닫게 하시니
믿음이 소생하고 진리의 말씀이 다가오네

겨자씨만한 믿음이 일상에서 보이네
소소한 행동에서 시작한 겨자씨
오직 공의로움 가운데 자기부인의 누룩이
풍성한 마음으로 무시로 행복이 가득차네

은혜의 강물 속에 빠지니 감추어진 보화가 보이고
영롱한 진주가 눈앞에 보여 취하게 하네
말씀에 의지한 그물은 물고기 가득하고 못된 것 버리라 하네

겨자씨의 믿음이 풍성한 열매를 맺게 하고
누룩이 세상 정화를 확장하니
말씀의 손길 구원으로 인도하며
내 삶이 찬란한 봄이로구나

마침 헤롯의 생일이 되어 헤로디아의 딸(살로메)이 연석 가운데서 춤을 추어 헤롯을 기쁘게 하니 (마태 14:6)
그가 제 어머니의 시킴을 듣고 이르되 세례요한의 머리를 소반에 얹어 여기서 내게 주소서 하니 (마태 14:8)

(헤로디아와 딸 살로메)

처참한 욕망에 매달려 딸마저 욕망의 도구로 사용하니
죄악 되므로 인하여 절망의 나락으로 떨어지고 있네

죄악 가운데 함께하며 춤추며 교태하는 어린 딸
춤추며 나부끼는 것이 죽음을 재촉하는 줄 모르네

헤로디아의 딸아 욕망을 갈망하는 춤추는 아이야
어미의 악한 영혼이 함께하는 줄 모르는구나!

죄악의 그림자를 털어내지 못하고
오실 길을 예비한 자 세례요한의 죽음을 부르네

여인이 난 자중에 가장 큰 자 세례요한
가슴에 울리는 광야의 소리 세례요한
지금도 귓가에 들리는구나.

베드로가 대답하여 이르되 주여 만일 주님이시거든 나를 명하
사 물 위로 오라 하소서 하니 (마태 14:28)

(두려워 마라 안심하라)

오병이어의 기적을 보고 왕 삼으려 하네
주님 갈 곳은 밤이 맞도록 산 기도하는 것

주님은 이스라엘의 왕이 아니라
세상 구원 영원한 생명 하나님의 자녀 삼는 것

주님 마음 멀어지니 세상과 가까워져
갈릴리호수 높은 풍랑에 제자들 혼비백산하네

홀연히 물 위를 걸어오시는 주님
내니 두려워 마라 안심하라 하시네

애제자 베드로 청함에 물 위로 걸어오라 하네
바람을 보고 무서워 물속에 빠지니
주님 손 내밀어 품으시며 꾸짖으시네
믿음이 작은 자여 왜 의심하느냐고

오롯이 주님만 바라보고 끝날까지 걷기를 소망합니다.

제3화 3월 묵시

너희는 이르되 누구든지 아버지에게나 어머니에게 말하기를
내가 드려 유익하게 할 것이 하나님께 드림이 되었다고 하기
만 하면 그 부모를 공경할 것이 없다 하여 너희의 전통으로
하나님의 말씀을 폐하는 도다 (마태 15:5~6)

(장로들의 유전)

바리세인과 서기관은
자신들이 보려고 하는 것만 보는구나.

하나님의 계명을 버리고
사람의 전통을 수호 하네

고르반 곧 하나님께 드리면 그만이라고
부모공경 업신여기는구나.

자기 이성으로 만든 법 스스로 얽어매니
복음 받아들이는데 장애물 되네

바리세인의 누룩은 헛된 봉사 헛된 열심 헛된 허상
자신들의 말로 자신들을 오염시키네

참 좋은 거룩한 누룩으로
나쁜 누룩이 오염되지 않기를 바라네

* 고르만 : 하나님께 드리기 위해 거룩하게 구별하여 따로 떼어둔 헌물

여자가 가로되 주여 옳소이다마는 개들도 제 주인의 상에서
떨어지는 부스러기를 먹나이다 하니 (마태 15:27)

(가나안 여자의 믿음)

개 돼지같은 천박한 가나안 여자
예수께 외치네 다윗의 자손이여
예수를 향해 나의 구원자 메시야 라고 외치네

개 취급 당해도 좋으니
흉악한 귀신이 주인 된 딸
주님이 주인된 딸로 바꿔달라 하네

주님을 향한 확고한 믿음과
영혼을 향한 애끓는 마음에
뒤에서 소리쳐 부르고 앞으로 나와 엎드려 간청하네

여자여 믿음이 크도다 딸이 나으리라 하시네
놀라우신 주님의 능력과 권세에
딸에게 주님의 은혜와 사랑을 말 하리라

여자의 믿음처럼 주님 마음 내 마음 되게 하소서

또 내가 네게 이르노니 너는 베드로라 내가 이 반석 위에 내
교회를 세우리니 음부의 권세가 이기지 못하리라(마태 16:18)

(표적을 구하는 바리새인과 사두개인들)

서로 앙숙인 바리새인과 사두개인이 연합하네
하늘나라 복음과 치유 사역으로 수많은 표적을 행했건만
하늘로부터 온 표적을 보여달라 하며 시험하네
왕이신 예수님을 대적하여 십자가에 못박을려구

바리새인과 사두개인 세상을 분별하지 못하는 맹인이라
제자들에게 바리세인과 사두개인의 누룩을 주의하라 하네

예수를 세례요한, 엘리야, 예레미야 선지자 중 한 사람
예수는 하늘의 왕이시오 메시야 임을 알지 못하네

베드로는 주는 그리스도시요 살아계신 하나님의 아들이라
이 고백은 혈육으로 배운 것 아니라 하나님의 계시를 통한 것

음부의 권세가 이기지 못하게
반석 위에 교회를 세우시겠다고 약속하시니
교회가 사도들과 선지자들의 터 위에 세워진 것이라

베드로에게 천국열쇠를 준 것같이 믿음의 눈을 뜨게 하소서

베드로가 예수께 여쭈어 이르되 주여 우리가 여기 있는 것이
좋사오니 만일 주께서 원하시면 내가 여기서 초막 셋을 짓되
하나는 주님을 위하여, 하나는 모세를 위하여, 하나는 엘리야
를 위하여 하리이다. (마태 17:4)

(영광스런 모습 변형과 초막)

높은 산 변화산에 올라가니
얼굴이 해 같이 빛나며
옷이 빛과 같이 희어졌네

그때 모세와 엘리야가
예수와 더불어 말하니
구약과 신약의 어울림이라

주님은 율법을 폐하는게 아니라 완성하러 오신 분이라
베드로는 저 아래 죄악뿐인 세상이 싫어
이곳에서 초막을 짓자고 하네

하나는 주님을 위하여,
하나는 모세를 위하여, 하나는 엘리야를 위하여
여분이 있다면 우리의 초막도 부탁하고 싶다.

갈릴리에 모일 때에 예수께서 제자들에게 이르시되 인자가
장차 사람들의 손에 넘겨져 죽임을 당하고 제삼일에 살아나
리라 하시니 제자들이 매우 근심 하더라 (마태 17:22~23)

(죽음과 부활을 다시 이르시다)

갈릴리에서 복음 전하시는 예수
주님의 죽으심과 부활하실 것을
제자들에게 말하나

제자들은 예수님이
죽는 것을 슬퍼하시네

제자들은 이제 무엇을 해야 할지
허탈해하며 근심하네

죽음으로 죽음을 이기는 뜻을
아직도 모르네!

자신들의 죄악에 대하여 슬퍼해야 하는데
하나님의 크신 섭리와 의를 아직도 깨닫지 못하네

진실로 너희에게 이르노니 만일 찾으면 길을 잃지 아니한 아
흔아홉 마리보다 이것을 더 기뻐하리라 (마태 18:13)

(길 잃은 양 한 마리)

양 백 마리 가운데 한 마리 양
무리에서 이탈하여 방황하네
얼마나 무섭고 외로울까

선한 목자 한 마리 양을 찾고 찾네
끝까지 포기하지 않으시고 찾아내니
모두 기쁨이 배가 되네

한 마리가 돌아오니
온전한 공동체를 이루는 것이라

순간순간 다른 길로 가는 한 마리 양
한 마리 양이 바로 내가 아닐까

너희가 각각 마음으로부터 형제를 용서하지 아니하면 나의 하
늘 아버지께서도 너희에게 이와 같이 하시리라 (마태 18:35)

(형제를 용서하라)

형제가 죄를 범했다면
회개하고 용서를 구하라 말하라

회개를 촉구해도 듣지 않는다면
한두 사람이 가서 회개할 것을 말하라

그래도 듣지 않는다면 교회에 말하라
교회의 말도 듣지 않는다면
형제가 아닌 이방인과 세리처럼 여기라

이는 그리스도의 긍휼하심으로
형제가 실족하지 않기 위함이라

회개에 따른 용서는 허물을 덮어주고
모든 문제를 해결하는 복된 길을 열어 주네

제자들이 이르되 여기 우리에게 있는 것은 떡 다섯 개와 물고기 두 마리뿐이니이다. (마태 14:17)

(헤롯 왕궁에서 빈들로)

거룩함과 진리가 쉼쉬지 않는 헤롯 왕궁
내가 주인인 교만 덩어리인 왕궁

교만이 죄를 잉태하니 항상 근심이라
진정한 쉼 이 없으니 왕의 역할을 못하네

빈들로 가신 예수님 하나님을 바라보네
모세가 빈들의 가시 떨기나무에서 하나님을 바라보듯
주님과 교제하는 곳 빈들 광야

나를 내려놓고 자신을 부인하니 내면의 광야라
결핍의 땅이 나의 복의 통로가 되네
오병이어의 주인 오늘도 주님이 하셨네

또 비유를 들어 이르시되 천국은 마치 사람이 자기 밭에 갖다
심은 겨자씨 한 알 같으니 (마태 13:31)

(참 겨자씨)

아주 작은 겨자씨가 하찮게 보이네
남의 밭에 심으니 관심이 없네

아주 작은 겨자씨가 귀하게 보이네
자기 밭에 심으니 소중히 여기네

귀한 말씀 내 마음에 심으니
자라는 천국이 보이고
충만한 천국이 보이네

천국은 마치 품꾼을 얻어 포도원에 들여보내려고 이른 아침에
나간 집 주인과 같으니 (마태 20:1)

(포도원의 품꾼들)

천국은 포도원에서 일한 품꾼을 찾는 주인과 같네
할 일 많아 아침 오전 낮 오후 품꾼 찾네

어느 때나 와서 일하라 하네
늦게 온 자도 후회하거나 낙심하지 말라 하며

누구도 품삯에 대하여 왈가왈부 말라 하네
누구나 같은 사랑의 품삯을 주시네

나중 된 자가 먼저 되고 먼저 된 자가
나중 될 수 있음을 깨달으라 하시네

이르시되 너희는 맞은편 마을로 가라 그리하면 곧 매인 나귀
와 나귀 새끼가 함께 있는 것을 보리니 풀어 내게로 끌고 오
라 (마태 21:2)

(예루살렘에 들어가시다)

십자가를 향해 가시는 예수님
영문 모르며 동행하는 제자들
우리들의 모습인가.

감람산 벳바게에서 두제자에게 맞은편 마을로가
뜬금없이 나귀와 나귀 새끼를 끌고 오라 하네
주님의 뜻이 무엇인지 모르지만 순종하네

스가랴 예언대로 어린 나귀 탄 초라한 행차
죽음의 십자가를 지고 예루살렘 성으로 입성하시네
주님 뜻이기에 순종하며 나아가니 호산나 소리 들리네

예수께서 성전에 들어가사 성전 안에서 매매하는 모든 사람들
을 내쫓으시며 돈 바꾸는 사람들의 상과 비둘기 파는 사람들
의 의자를 둘러 엎으시고 (마태 21:12)

(성전을 깨끗게 하시다)

내전은 기도하는 집이라
성전 안 환전상 비둘기 판매 엎으시네

어린아이 호산나 다윗의 자손이여 찬미 소리
대제사장과 서기관 격노하네

이에 무화과나무 마르게 하시니
열매 맺지 못하네

입만 살아 떠들고 온갖 횡포로 얼룩진 것 보다
겸손하고 온유한 성품을 원하시네

주님은 무성한 잎사귀보다
풍성한 성령의 열매를 원하시네

예수께서 성전에 들어가 가르치실새 대제사장들과 백성의
장로들이 나아와 이르되 네가 무슨 권위로 이런일을 하느냐
또 누가 이 권위를 주었느냐 (마21:23)

(예수의 권위)

성전에서 가르치며 복음을 전하며 기뻐하시네
대제사장과 장로들은 무슨 권위로 조롱하며
누가 하라 했느냐며 없신 여기네

종교지도자들 간괴가 들어있는 덫을 놓으나
요한의 세례에 대하여 역질문 하시니
어벙벙 말문이 막히네, 이에 두 아들을 비유하니

맏아들은 일하러 가겠다 하고 가지 아니하니
율법을 가르치고 순종하는 듯 하지만
천국 복음을 거절하는 종교지도자들을 빗댐이라

둘째 아들은 싫다 하나 후회하고 순종하니
이는 세리와 창녀들이 먼저 하나님 나라에 들어 가는것
주님의 권위는 하나님의 권위로 왔음을 믿고
내 삶의 주인 되게 하는 것이라

그들이 말하되 그 악한 자들을 진멸하고 포도원은 제 때에
열매를 바칠 만한 다른 농부들에게 세로 줄지니이다
(마태21:41)

(포도원 농부 비유)

유대의 종교지도자들 악한 포도원 농부라
포도 열매를 받으려는
종들을 때리고 죽이기까지 하네

악한 포도원 농부는
주인의 권위를 두려워하지 않으니
결국은 멸망에 이르게 되다는 것을 모르네

하나님께서 허락하시고 주신 것
슬그머니 내 것인 것처럼 행동하지 않았는지
회개하며 죄악 교만 버리게 하옵소서

포도원 : 이스라엘
주인 : 하나님
소작인 : 유대지도자
종 : 선지자
주인의 상속자 : 예수그리스도

내가 문이니 누구든지 나로 말미암아 들어가면 구원을 받고
또는 들어가며 나오며 꼴을 얻으리라 (요한 10:9)

(나는 문)

양들이 생명을 얻고 풍성한 삶을 살게 하려고
오신 것은 십자가의 대속의 댓가 이네

바리새인들은 이해 못하네
구원은 믿음으로 참여하는 것임을

은혜에 의하여 믿음으로 말미암아
구원을 받은 우리 하나님의 선물이라

예수님을 알고 알아 가는 것이
풍성함 삶을 살아가고 있다는 증거

선한 목자 예수 양떼 인도하시고
가슴에 넘치는 기쁨과 평강 오늘도 주시네

부활 때에는 장가도 아니가고 시집도 아니가고 하늘에 있는
천사들과 같으니라 (마태 22:30)

(부활 논쟁)
바리새인 예수님 올무걸이 실패하니
모세오경만 믿은 사두개인 시비거네

일곱 형제 중 맏아들 장가가 죽으니
남은 자식 그 여인 줄줄이 취하지만 죽게 되네
이에 부활 때 최종적으로 누구의 아내인가 묻네

부활을 믿지 않으면서 부활을 전제한 질문을 하니
이미 완악함이 가득하네
하늘 천사들과 같을 것 임을 모르는 무지

우리 자신도 부활을 안다고 하지만
우리의 경험에 갇혀 있지는 아니한지 돌아보네

예수께서 이르시되 네 마음을 다하고 목숨을 다하고 뜻을 다
하여 주 너의 하나님을 사랑하라 하셨으니 (마태 22:37)

(가장 큰 계명)

이 세상에서 가장 큰 계명은 역시 사랑이지
사랑 없으면 살아갈 가치도 존재 이유도 없는 것이라

마음을 다하여 사랑하라 하시네
감정과 생각을 가지고 마음 근원에서부터 사랑하리

목숨을 다하여 사랑하라 하시네
모든 삶에 생명, 즉 영혼을 걸고 사랑하리

뜻을 다하여 사랑하라 하시네
우리의 생각 지성을 다하여 사랑하리

이 세상의 참신은 오직 하나님
한 분만이시기 때문이라

누구든지 자기를 높이는 자는 낮아지고 누구든지 자기를 낮추는 자는 높아지리라 (마태 23:12)

(겸손한 삶)

서기기관 바리새인들 모세의 자리에 앉아있네
아버지는 그들이 아니라 하나님이신데

사람에게 보이는 것이 아니라
하나님께 영광을 돌리는 삶을 모르는가

낮아지고 겸손히 하나님과 동행하는 자
주님이 높여 주신다 하시네

그리스도의 겸손한 삶을 배우고 닮아가며
주님 안에서 살며 사랑하다 죽는 게 얼마나 큰 기쁨일까

화 있을진저 외식하는 서기관과 바리새인들이여 너희는 천국
문을 사람들 앞에서 닫고 너희도 들어가지 않고 들어가려 하
는 자도 들어가지 못하게 하는구나 (마태 23:13)

(화 있을진저)

율법 학자들과 바리새파 사람들아, 이 위선자들아
너희에게 화가 있도다 일곱 번이나 외치시네

천국 문마저 닫아버리고 남도 자신도 구원받지 못하는
가장 못된 사람들, 불행한 종교인들

열심은 있으나 하나님 나라의 훼방꾼들로 독이되는구나
바리새인의 책망이 나를 향한 것은 아닌가 되돌아보네

먼저 안을 깨끗이 하라 그리하면 겉도 깨끗하리니
기회를 주시며 사랑의 권면을 하시네

죄를 짓고 방황할 때 모든 것을 버리고
주님 앞에 나가는 것이 가장 좋은 천국의 처방이라

보이지 않는 것을 주의하라 주님은 보시고 계심을

그런즉 누구든지 그리스도 안에 있으면 새로운 피조물이라 이전 것은 지나갔으니 보라 새것이 되었도다 (고후 5:17)

(걸작품)

우리가 그리스도 안에서 새로워질 수 있는 것은
이미 그리스도 안에서 새로운 존재이기 때문이라

새로운 피조물은 거듭남으로
거룩한 삶이며 천국의 완성이라

새로운 피조물로 만드신 분은 그리스도시라
시종일관 은혜와 진리가 충만하신 하나님

진흙투성인(죄와 허물) 우리를 걸작품 만들어 놓셨기에
그대로 품어 안으시고 기뻐하시네

있는 그대로의 과거(죄와허물)를 사용하여
보혈의 피로 구속을(새로운 피조물) 이루셨네

걸작품이 빛나도록 하나님 닮기를 기도하리라

그때에 천국은 마치 등을 들고 신랑을 맞으러 나간
열처녀와 같다 하리니 (마태 25:1)

(열처녀 비유)

슬기있는자 말씀을 기쁨으로 받지만
미련한 자 의욕으로 받다 기가 꺾여 소실되네

등불과 기름 준비 되었는가 뒤돌아보니
바쁘다는 핑계로 예배와 기도를 못들였네

그날과 그 때를 알지 못한다고
늘 깨어 있어라 말했거늘

재림의 날 등불과 기름준비 되었는지 뒤돌아보네

다섯 달란트 받았던 자는 다섯 달란트를 더 가지고 와서 이르
되 주인이여 내게 다섯 달란트를 주셨는데 보소서 내가 또 다
섯 달란트를 남겼나이다 (마태 25:20)

(달란트 비유)

다섯 달란트 두 달란트 남긴 삶
성장하고 성숙되어 열매 맺는 삶이네

한 달란트 그대로인 삶
수고 도 길쌈도 하지 않고 천국만 바라보네

나에게 주워진 달란트
봄 향기 가득하도록 충만한 향기 남기게 하소서

누리는 것보다 사랑을 베풀고 복음 전하며
하나님 영광을 위하며 감사하는 마음으로 살게 하소서

인자가 자기 영광으로 모든 천사와 함께 올 때에 자기 영광의
보좌에 앉으리니 모든 민족을 그 앞에 모으고 각각 구분하기
를 목자가 양과 염소를 구분한 것 같이 양은 그 오른편에 염
소는 왼편에 두리라 (마태 25:31~33)

(양과 염소의 비유)

양은 오른편 천국에,
염소는 왼편 지옥에 두리라 하네
이것은 창세로부터 예비 된 나라 상속이라

형제들에게 이웃에게 하는 것이 주님께 하는 것이라
구속 받은자 변화된 삶이 슬기있는 다섯 처녀의 삶
두렵고 떨림으로 변화된 삶이 달란트 남긴 자의 삶

세상 가운데 양과 염소가 함께 풀을 뜯고 있으니
의인과 죄인이 뒤섞여 함께 있어 구별할 수 없지만
주 앞에 설 때면 죄인과 의인 확실히 구별되리라

하나님 말씀은 마음과 생각과 뜻을 판단하게 하나니
지금 당장 구별 안 된다고 세상적으로 살지 않도록
기도하며 참 자녀로서 삶이 무엇인가 돌이켜보네

제4화 4월 묵시

우리가 아직 죄인 되었을 때에 그리스도께서 우리를 위하여
죽으심으로 하나님께서 우리에 대한 자기의 사랑을 확증 하
셨느니라 (로마 5 : 8)

(사랑의 증거 속에서 살아가는 자)

세상죄를 지고 가는 하나님의 어린양
예수의 피가 우리를 가리시네

피는 죄를 심판하고 우리를 살리심이라
피 뿌림을 위하여 택하심을 받는 자 되길 원하네

하나님 나라에서 사는 것은
생명을 얻고 더 풍성히 얻는 삶이라

그리스도인이란 하나님을 아는 것과
내가 죄인인 것 과 이로 인해 죽을 수밖에 없는 우리를

십자가의 대속으로 새생명 얻을 것을 알고
하나님을 나의 주인으로 맞이하는 것이라

여호와께서 이르시되 네 아들 네 사랑하는 독자 이삭을 데리고 모리아 땅으로 가서 내가 네게 일러준 한 산 거기서 그를 번제로 드리라 (창세 22:2)

(믿음의 최고봉)

아브라함 독자아들
이삭 번제물 드리라 하시네

아브라함 모든 것을
바치라는 뜻

독자아들 아끼지 않으니
하나님 경외하는 삶이라

우리의 십자가를 지셨기에
우리의 십자가를 아시는 주님

모리아, 갈보리
내 아들 내 사랑하는 독자

아브라함이 이에 번제 나무를 가져다가 그의 아들 이삭에게
지우고 자기는 불과 칼을 손에 들고 두 사람이 동행하더니
(창세 22:6)

(테스트)

우리의 사랑하는 아들
주님의 것임을 아는 아브라함

아브라함의 영적등급
유혹을 이겨내기에 충분 했네

믿음을 객관적으로 드러내는 것은
말씀과 교제와 하나님을 알아가는 것과 신뢰함이라

십자가의 자리를 통과하는
믿음의 조상 아브라함

하나님이 그에게 일러 주신 곳에 이른지라 이에 아브라함이
그 곳에 제단을 쌓고 나무를 벌려놓고 그의 아들 이삭을 결
박하여 제단 나무위에 놓고 (창세 22:9)

(우상의 죽음)

이삭이 아브라함에게
우상이 되지 않기 위해
결단 하시네

아브라함을 시험하는 것
복의 통로가
되시기 위함이라

십자가에 가는 길
우상의 삶이
죽어가는 것이라

아브라함과 이삭의 친밀한 관계
겟세마네 동산에서
아빠 아버지에게 원대로 하옵소서 일러라

아브라함이 아침에 일찍 일어나 나귀에 안장을 지우고 두 종과 그의 아들 이삭을 데리고 번제에 쓸 나무를 쪼개어 가지고 떠나 하나님이 자기에게 일러주신 곳으로 가더니
(창세 22:3)

(하나님께 드려진 기쁨)

순종과 헌신의 삶은
산제물의 삶이며
하나님 안에서 이루어 지네

우상이 제거 되는것과
하나님이 주인 되신 것
산제물이라

여호와 경외함은
헌신 순종에서
나오는 것이라

십자가는 입증일 뿐
이미 예수님은 사랑이셨다네

고난, 고통을 원하는 것이 아니라
그 가운데서 꽃피고 기쁨과 유익함을 얻는 특권이 있음이라

아브라함이 눈을 들어 살펴본즉 한 숫양이 뒤에 있는데 뿔이 수풀에 걸려 있는지라 아브라함이 가서 그 숫양을 가져다가 아들을 대신하여 번제로 드렸더라 (창세22:13)

(첫 번제 여호와이레, 완전한 여호와 이레)

모리아산의 숫양은
죽음을 죽음으로 대신하는 것

여호와이레 하나님이
준비하심이라

벌레 같은 악한 우리를 대신하여
한순간이라도 내세울 것 없는
죄인인 우리를 위해

예수그리스도께서
가리 우시고
십자가에 대속하심이라

만일 우리가 그의 죽으심과 같은 모양으로 연합한 자가 되었으면 또한 그의 부활과 같은 모양으로 연합한 자도 되리라 (로마 6:5)

(부활의 생명으로 눈뜨고 처음으로 보는 것)

새 생명은 죄에 대해
종노릇 하지 않는 것이라

새 생명은 하나님과 함께
살아가는 삶이라

믿음은 연합의 도구이며
예수님과 함께 죽고 사는 삶이라

영적성장은 죽고 사는 것이며
하나님과 함께 살아가는 삶이라

산 제물로 살아갈 때 거룩함이 나타나는데
우리는 하나님에 대하여 살아있는가?

밤에 이슬이 진영에 내릴 때에 만나도 함께 내렸더라
(민수 11:9)

(만나 불평)

만나를 보면
새로운 삶의 자유를 만끽해야 함에도
매일 같은 것 주신다고 불평 불만하네.

밤새도록 통곡함이 웬일인가
다시 광야로 회귀하게 하심의
전주곡인지 왜 모를까

꿀 송이 같은 만나가
기름 섞인 과자로 변해가네

불평은 받은 은혜도 거부하고
애굽왕을 그리워 하네

원망과 비방은 저주의 불을 가져오는데
세상적인 만족에 자족함을 아직도 갖지 못하네

주신 은혜를 통해서 하나님을 더 알아가야 하는데 ^^~

구름이 장막위에서 떠나갔고 미리암은 나병에 걸려 눈과 같
더라 아론이 미리암을 본즉 나병에 걸렸는지라 (민수12:10)

(미리암이 벌을 받다)

모세의 누이 미리암

갓난아이 모세가 갈대상자에 실려 떠내려갈 때
유모로 바로의 딸에게 어머니를 추천한 여인 미리암

하지만 동생 모세의 지도력에
불만을 품고 비난 하네

모세에 대한 비방을 하나님은 엄격히 다루니
하나님의 형벌로 나병이 발병하게 하시네

모세는 하나님께 충성된 자
모세는 하나님과 친밀한 관계자라

모세는 하나님을 기뻐하게하는 온유한 영적 지도자
모세는 여호와께 부르짖으시네 누이를 고쳐 주옵소서

사람을 보내어 내가 이스라엘 자손에게 주는 가나안땅을 정
탐하게 하되 그들의 조상의 가문 각 지파중에서 지휘관 된
자 한사람씩 보내라 (민수 13:2)

(가나안 땅 정탐)

하나님이 가난안 땅을
정탐토록 허락 하시네

각 지파중에서 지휘관 된 자 한사람씩 12명을 세우나
믿음의 눈보다 현실만 바라보네

겨자씨만한 믿음
손바닥 구름을 보고
장대비를 예언한 엘리야의 믿음이 필요하네

우리가 사는 이땅
이미 주님 나라가 임하였음을 믿고
담대히 나아가는 삶이 되게 하소서

너희는 다시 무서워하는 종의 영을 받지 아니하고 양자의
영을 받았으므로 우리가 아빠 아버지라고 부르짖느니라
(로미 8:15)

(아빠 아버지)

창조주 하나님의 형상대로 지으신 아버지
천지만물을 통치하고 다스리라 하신 아버지
하나님과의 인격적인 관계를 갖게 하시네

아빠 아버지 관계의 반영을 나타내고
능력의 근원이 되신 분
친밀함과 깊은 애정의 부름 아빠 아버지

바울은 하나님이 계시기에
모든 것이 의미가 있다고 하시네

나에게도 모든 것에 하나님을 놓으며
의미 있는 삶을 살길 기도하네

너희는 그땅을 정탐한 날 수인 사십일의 하루를 일년으로
쳐서 그 사십년간 너희의 죄악을 담당할지니 너희는 그제서
야 내가 싫어하면 어떻게 되는지를 알리라 하셨다 하라
(민수 14:34)

(언약파괴)

민수기 가데스반야의 광야에서
순종과 불순종의 분기점

이스라엘 백성의 원망과 불평이
광야에서 죽었으면 하는 것이라

가나안 땅에 들여 보내려는 주님의 마음
불신앙으로 취할 수 없네

언약의 땅 이미 주었다고 하셨는데
스스로 아니라 하며 애굽으로 돌아가려하네

언약파괴로 정탐날 수 40일
일년으로 환산하여 40년의 대가를 치르게 하시네

나에게 참 믿음의 눈이 필요할 때가
지금이 아닌가 돌이켜 보네

너희 중에 거류하는 타국인이나 너희중에 대대로 있는 자나 누구든지 여호와께 향기로운 화제를 드릴 때에는 너희가 하는 대로 그도 그리할 것이라 (민수 15:14)

(공동체의 구원)

백성의 원망과 반역에 불구하고 용서하시는 하나님
가나안 땅에 들어가거든 제사제도에 대하여 은혜를 주시네
하나님과의 관계를 유지하고 합당한 반응을 요구 하심이라

하나님은 언제나 신실하시며 가르치고 교훈하며
하나님의 백성에게는 하나로 부르시며 차별이 없으시니
모든 곳 하나님의 법이 성령께서 하나가 되게 하시네

첫 열매를 바치게 하시는 것
축복의 땅에 들어가게 하신 것 에 감사하는 마음 요구
더 주기위해 요구 하시는 것이라

먼저 헌신 하신 하나님
구원의 첫 열매이신 예수그리스도를 보게 하는 것이라

하나님이 형상인 공동체를 구원하기위해
십자가의 사랑을 기억 하게 하시네

이 술은 너희가 보고 여호와의 모든 계명을 기억하여 준행하고 너희를 방종하게 하는 자신의 마음과 눈의 욕심을 따라 음행하지 않게 하기 위함이라 (민수15:39)

(옷단 귀에 다는 술)

부지중에 지은 죄에 대하여도
속죄의 마음 기억하게 하라 하시네

옷단 귀에 다는 술을 보고
계명을 기억하라 하시네

기억하고 행하면 하나님 앞에 거룩하리라
나는 여호와 너희의 하나님이라 3번이나 반복하시네
너희 하나님이 되려고 주신 말씀이라

하나님의 말씀이기에, 명령이기에, 임재 가운데 있기에
옷단 귀에 달려있는 술을 보고
사단의 간교를 의식하는 자 되게 하시네

경외하고 의식하고 임재가운데 은혜를 구하며 나아 갑니다.

아론이 모세의 명령을 따라 향로를 가지고 회중에게로 달려
간 즉 백성 중에 염병이 시작 되었는지라 이에 백성을 위하
여 속죄하고 죽은자와 산 자 사이에 섰을 때에 염병이 그치
니라 (민수 16:47~48)

(향로)

모세와 아론 권위에 도전하는
고라, 다단, 온 당을 지은자들 같은 고핫 자손이라

가데스바니야 같이 원망하며 목이 곧은 백성으로 당 짓네
회중이 모세와 아론을 원망하니 백성이 죽임을 당하네

순식간에 그들을 멸하리라 하시며 진노로 지진을 발하시니
모세는 엎드리며 용서를 구하네
중보자 예수그리스도의 모습을 보게 하시네

지금도 십자가의 은혜로 말미암아 용서하시는 주님
죄를 기억나게 향로를 녹이시고 제단을 쌓으라 하시네

아론이 모세의 명령을 따라 향로를 가지고
죽은자와 산자사이에 서니 염병이 그치게 되네
백성들의 원망가운데에서 하나님의 은혜 깊은 뜻 되새기네

이튿날 모세가 증거의 장막에 들어가 본즉 레위 집을 위하여
낸 아론의 지팡이에 움이 돋고 순이 나고 꽃이 피어서 살구
열매가 열렸더라 (민수 17: 8)

(아론의 지팡이)

각 지파대로 지팡이 하나씩 주니 열두개라
지팡이 (죽은나무)에서
새 생명이 움트고 꽃이 피고 열매 맺은 아론의 지팡이

택하신 지팡이를 통해 성령님이 동행하니
우리는 죽어있던 존재
주님이 십자가를 통해 생명주심에 감사하네

하나님 영광 받아 주시옵소서
언약궤 속에 담긴 아론의 싹 난 지팡이
황무지에서 장미꽃이 피게 하게 하는 생명나무라.

이스라엘 자손이 여호와께 거제로 드리는 모든 성물은 내가
영구한 몫의 음식으로 너와 네 자녀에게 주노니 이는 여호
와 앞에 너와 네 후손에게 영원한 소금 언약 이니라
(민수 18:19)

(소금 언약)

영원 불편한
결코 파기 될 수 없는
하나님의 언약

제사장과 레위인들에게
주신 선물(직분, 직무),

직무에 충실할 때
진노가 더 이상 미치지 않을 것이라

고대 유목민족의 계약은 쌍방이 소금을 찍어 먹는 것
속죄의 제물되신 예수님의 영원불변한 대속의 은혜이네

대대로 지킬 언약 변하지 않는 언약 영원한 분깃이라
우리의 영원하신 기업 예수그리스도를 앙망 합니다.

여호와께서 명령하시는 법의 율례를 이제 이르노니 이스라
엘 자손에게 일러서 온전하여 흠이 없고 아직 멍에 메지 아
니한 붉은 암송아지를 네게로 끌어오게 하고 (민 19:2)

(붉은 암송아지의 재)

붉은 암송아지 예수님의 십자가의 상징이라
온전하여 흠이 없는 멍에 메지 않는 순결한 것이라
진영 밖으로 끌어내어 암송아지의 재를 거두게 하시네
예수님 성문 밖 골고다 언덕 고난을 받으시고 대속하심이라

죄인으로 죽을 수밖에 없는
예수님의 십자가 보혈 붙들고 나아가리라
세상 밖에 나아갈 때 성령의 재 의지하며 나아가리라

유월절 속제물 되신 주님을 통해 생수의 근원이 되신 주님
정결한 마음으로 하나님께 나아가리라
하나님 앞에 성령의 거울로 우리를 살피며 나아가리라

죄악에서 벗어나 영광의 보좌로 나아가는 삶을
성령의 재로 뒤덮는 삶이 되게 하소서

제5화 5월 묵시

지팡이를 가지고 네 형 아론과 함께 회중을 모으고 그들의 목
전에서 너희는 반석에게 명령하여 물을 내라 하라 네가 그 반
석이 물을 내게 하여 회중과 그들의 짐승에게 마시게 할지
니라. (민수 20:8)

(신광야 가데스의 므리바 물)

1세대가 자녀들에게 무엇을 가르쳤기에
2세대들도 불평 불만하네

파종할 것도 무화과도 포도도 없고 석류도 없고
마실 물도 없다하네

여호와께서 모세에게 이르시되
반석에게 명령하여 물을 내게 하라 하시네
이 반석은 예수그리스도의 생명수라

모세는 지팡이로 반석을 두 번 침으로
물이 많이 나오니 이는 모세의 혈기 부린 것이라

깨어진 반석에서 물을 내라 이는 부활하심으로 깨어졌음이라
반석을 침으로 명령을 어기는 누를 범하니
모세 아론 가나안 땅으로 들어가지 못하리라 하시네
신령한 반석위에 생명수를 주신 주님만을 의지 합니다.

여호와께서 모세에게 이르시되 불 뱀을 만들어 장대 위에 매달아라 물린 자마다 그것을 보면 살리라. 모세가 놋 뱀을 만들어 장대위에 다니 뱀에게 물린 자가 놋 뱀을 쳐다본즉 모두 살더라. (민수 21: 8~9)

(놋 뱀)

하나님의 인도하심의 길은 합당한 길 우회한다고 원망 하네
모세에 대한 원망을 넘어 하나님께 원망하기까지 하는구나

만나를 보잘것없고 하찮은 음식이라 싫어한다 하네
물리면 죽는 불뱀 보내어 죄의 삯이 무엇인지 알게 하시니
백성들이 범죄함을 깨달은지라 여호와께서 용서하시네

모세가 놋 뱀을 만들어 장대위에 다니
뱀에게 물린자가 쳐다본즉 살더라
놋 뱀은 십자가라 십자가를 바라보는자가 살게 되는 것이라

죄의 독에 물려 살게 하신이 오직 그리스도의 십자가라
회복과 구원은 십자가를 통해 있음에
오늘도 놋 뱀을 바라보게 하소서

우리보다 강하니 청 하건데 와서 나를 위하여 이 백성을 저주하라 내가 혹 그들을 쳐서 이겨 이 땅에서 몰아내리라 그대가 복을 비는 자는 복을 받고 저주하는 자는 저주를 받을 줄 내가 앎이니라. (민수 22:6)

(복의 영)

발락은 발람에게 나를 위하여 복을 빌고
저주하는 자를 저주하라 요청 하네
하나님 나라 위해, 공동체를 위해 복을 빌어야 하는 것인데

발락의 열심은 자신을 위한 것이라
저주한 사람에게 저주가 임하니라
이에 항상 축복의 영을 빌어야 함이라

발람은 복채를 받고 생각과 마음이 오염 되네
하나님께서 무슨 말씀을 하시려 나 더 알아보자 하시네
이미 빛은 비추어 졌음을 왜 모를까,

하나님의 정체성은 빛은 어둠을 물러나게 하느니
축복하는 것이라,
나에게도 세상적인 외식의 마음이 있음을 고백하게 되네

나귀가 발람에게 이르되 나는 당신이 오늘까지 당신의 일생동 안 탄 나귀가 아니냐 내가 언제 당신에게 이 같이 하는 버 릇이 있더냐 그가 말하되 없었느니라. (민수 22:30)

(발람과 말하는 나귀)

간사하고 음흉한 발람
모압왕과 결탁으로 백성을 저주 하네

불의 삯은 사망인데 사랑하네
모압왕은 이스라엘 백성 수가 많음에 두려워 저주하게 하네

평생 함께 해온 나귀를 말하게 함으로
미친 선지자 발람을 깨우시며
하나님은 간사한 속내까지 감찰 하시네

여호와의 천사를 보고 이에 발람은 무릎 꿇네
모압 발락에게 가는것 내버려 둔것 허락한게 아니었는데
나의 갈 길이 주님이 허락 하신 길인지 살펴보게 하시네

제사장 아론의 손자 엘르아살의 아들 비느하스가 보고 회중 가운데에서 일어나 손에 창을 들고 그 이스라엘 남자를 따라 그의 막사에 들어가 이스라엘 남자와 그 여인의 배를 꿰뚫어서 두 사람을 죽이니 염병이 이스라엘자손에게서 그쳤더라. (민수 25: 7~8)

 (영원한 비느하스 예수님)

세 번씩이나 발람은 발락의 저주에 확성기 역할을 하네
한순간 넘어질 수 있는 우리임을 생각하며
끝까지 쓰임 받는 인생 되길 바라네

여호와께서 심으신 침향목 같고 물가의 백향목 같도다
하나님의 말씀은 전한다고 다 하나님의 자녀가 아니네
직접 끝까지 하나님의 말씀을 전하고 지키는 삶이 중요하네

자기 자신의 유혹에 넘어지는 우리에게
또 기회를 주시는 하나님
우리 안에 있는 비느하스가 되길 원합니다.
죄에 대하여 단호히 거절하는 영원한 비느하스 예수님

이스라엘 자손의 온 회중의 총수를 그들의 조상의 가문을 따라 조사하되 이스라엘 중에 이십 세 이상으로 능히 전쟁에 나갈만한 모든 자를 계수하라 하시니 (민수 26:2)

(인구조사)

첫번 인구조사보다 더큰 모압평지에서의 두번째 인구조사라
하나님의 인구계수는 언약의 신실하신 은혜이네

불평불만 비교하는 악한 습성 자신들을 향한 저주인 것을
염병후의 죄와 단절된 순결한 자들이
가나안을 보게 하기 위해서일까

비느하스의 창이 염병의 심판을 그치게 하고
가나안 진입의 전환점인걸까

광야 2세의 20세이상 장정들의 계수라, 구원계획의 은혜이네
과거의 은혜 첫 번째 인구조사 이후 38년을 세어보라 하시네.
믿음으로 순종한 지파 줄지 않고 오히려 늘었네

광야에서의 우리의 삶 청지기로서 충성 순종하며 사는 것
약속의 땅을 향한 소망을 품고 나아가길 바라며
오늘도 주신은혜가 한량없음에 감사하네.

어찌하여 아들이 없다고 우리 아버지의 이름이 그의 종족 중에서 삭제 되리이까 우리 아버지의 형제 중에서 우리에게 기업을 주소서 하매 (민수 27:4)
슬로브핫 딸들의 말이 옳으니 너는 반드시 그들의 아버지 형제 중에서 그들에게 기업을 주어 받게 하되 그들의 아버지의 기업을 그들에게 돌릴지니라. (민수 27:7)

(슬로브핫 의 딸들)

므낫세 지파 땅을 분배 받을 남자가 하나도 없게 되었네
죄로 인하여 죽은 것이 아니라 전쟁 모두 죽었기 때문이라

므낫세 지파의 딸들 자신들에게도 기업을 줄 것을 요청하네
앞으로 받을 가나안 땅을 기대하며 믿고 나가는 귀한 믿음

120세 모세는 자의적인 판단하지 않고 하나님께 아뢰네
모든 것을 하나님께 맡기는 모습 아름답지 않은가
하나님께서는 당연 분배 받을 수 있도록 배려 하시네

히브리 율례에 여인 상속법안이 신설 되는 것인가
기업분배의 공평과 정의 가 실현되는 참 모습이라
보이지 않은 영원한 나라를 소망하며 살아가길 기도합니다.

또 그들에게 이르라 너희가 여호와께 드릴 화제는 이러하니 일 년 되고 흠 없는 숫양을 매일 두 마리씩 상번제로 드리되 어린양 한 마리는 아침에 드리고 어린양 한 마리는 해 질 때에 드릴 것이요 (민수 28:3~4)

(날마다 드리는 상번제)

가나안 땅으로 들어가게 되는 2세대들에게
하나님께서는 예배의 방식을 알리시네
레위기에서 절기를 통해 말씀하신 것을 반복 하시네
왜 일까 가나안에 들어가서는 하나님의 말씀에 반 하면 안 되기에 예배의 삶을 살아가야할 제도를 매일 매주 매월 잊 지 말라 말씀하시네
절기는 하나님의 창조의 질서에 감사함을 나타내는 표징이라
창조와 구원의 질서를 통한 절기의 지킴이라
삶의 모든 것이 하나님이 허락 하신 것이라
감사의 제사를 드리는 것이 당연한 것이라
다음세대들에게 전하는 우리는 어떤가
참 예배의 본을 보이고 있는지 생각 해 보네
상번제로 아침에 해질 때 드리는 제사
하루의 삶을 인도하시는 주님을 바라보며
아침 소망으로 시작하여 저녁 감사함으로 영광을 돌리는지
깨어 각성 하며 영적인 마음을 열어달라고
오늘도 성령님 함께 하여 주시길 기도합니다.

사람이 여호와께 서원하였거나 결심하고 서약하였으면 깨뜨
리지 말고 그가 입으로 말한 대로 다 이행할 것이니라.
(민수 30:2)

 (서 원)

하나님께 약속하는 것
반드시 지켜야 하는 것

말에 대한 신뢰는
영적 성숙이라네

하나님은 자신을 가리켜 약속하시니
소망을 찾는 우리에게 안위를 주시네

서원은 사랑과 기쁨에서 나오는 것이라
하나님이 기뻐하시고 공동체가 기뻐하며 유익이 있네

모세가 갓 자손과 르우벤 자손에게 이르되 너희 형제들은
싸우러 가거늘 너희는 여기 앉아 있고자 하느냐(민수 32:6)

(요단강 동쪽 지파들)

가축을 기르기에 아주 좋은 땅
요단강 동쪽 야셀과 기르앗 땅
르우벤과 갓 지파는 가축 기르기 좋은 땅
요단강 서쪽으로 가지 않겠다고 하네

강 서쪽 가나안땅 보내려는 이유를 알지 못하네
가나안 백성을 모두 몰아내고 정착하시기를 원하셨는데
이방족속과의 우상 숭배의 영향을 받지 않기 위함인데
아브라함의 조카 롯 과같이 그저 좋은 땅 만 생각 했네

하나님 섬기기에는 좋지 않은 땅 임을 생각 못한 어리석음
하나님 뜻은 영광과 백성들의 지속적인 전진을 바라는데
당장 편하다고 요단 동편에 안주 하는 모습은 우리 모습인가

제사장 아론의 손자 엘르아살의 아들 비느하스가 내 질투심
으로 질투하여 이스라엘 자손 중에서 내 노를 돌이켜 내 질
투심으로 그들을 소멸하지 않게 하였도다. (민수 25:11)

(타협에서 열심히)

광야 인생 교훈은 어려운 상황 가운데에서 감사와 기도였네
원망 불평 절망한다고 나아짐 아니라 삶은 더 파괴되어지네
지금 가지고 있는 것 에 감사, 오늘 감사는 내일 감사로

타협의 유혹에 주의하라
음행 우상숭배 죄임을 알지만 타협함으로 망하게 되네
이스라엘 백성 염병으로 24,000명이나 죽게 하네 저주는 막
았지만 타협함으로 죽게 하시네

우리의 문제는 축복의 부재가 아니라 타협이구나
타협은 저주와 다를바가 없네
지금 이세상에도 선악과는 항상 존재함을 명심하리

하나님의 열정과 열심을 품은 비느하스
질투하여 죽이고 속죄하게 함으로 영원한 기업을 주시네
하나님의 열심 열정이 공동체가 변화되고 바뀌게 되리라
타협은 자신과 공동체를 죽음으로
열정은 자신과 공동체에 생명을 얻게하고 복을 받게 하네

모세와 아론의 인도로 대오를 갖추어 애굽을 떠난 이스라엘 자손들의 노정은 이러하니라. (민수 33:1)

(애굽에서 모압까지)

모세와 아론의 인도로 애굽 떠나 모압(싯딤)까지 여정이라

과거 여정은 우리의 인생이며, 역사이며,
하나님의 흔적을 묻고 보고 있는 것이라

과거의 여정을 하나님은 모두 기억하고 계시네
순간순간 세밀하게 기억하시고 주관하시고 하나님

가나안 입성 바로직전 모압 평지에서 돌아보니
지금까지 여정을 돌아보게 하시네

하나님이 모든 것을 주관하시고 있음을

너희가 레위인에게 줄 성읍은 살인자들이 피하게 할 도피성
으로 여섯 성읍이요 그 외에 사십이 성읍이라 (민수 35:6)
너희를 위하여 성읍을 도피성으로 정하여 부지중에 살인한
자가 그리로 피하게 하라 (민수 35:11)

(도피성)

레위인에게 모두 48성읍을 주고 목초지도 함께 주시니
구심점의 역할을 하시라 하는 것이네

요단서편 3곳, 동편 3성읍에 도피성을 두시니
보복 살인, 실수에 대한 피해를 구제하는 것이라

차별 없이 보호하시는 하나님의 은혜의 도움심이
오해 누명을 보호하시기 위한 하나님의 피난처
도피성은 마음을 감찰하는 곳이라

보호받는 장소이지만 대제사장이 죽은 후에야
집으로 돌아올 수 있다니
대제사장이 속죄의 제물 되심이라

영원한 대제사장 예수그리스도의 십자가의 대속
본향은 예수 그리스도를 통해서만 가능 한 것
우리를 위해 대속제물 되신 예수님의 은혜에 감사하고
또 감사하네.

예수그리스도의 종 바울은 사도로 부르심을 받아 하나님의
복음을 위하여 택정함을 입었으니 이 복음은 하나님이 선지
자들을 통하여 그의 아들에 관하여 성경에 미리 약속하신
것이라(로1:1~2)

(로마가 들어야 했던 복음)

바울이 쓴 13개의 편지 바울서신이라
로마서, 고린도전서. 고린도후서, 갈라디아서, 에베소서, 빌립
보서, 골로세서, 데살로니가전서, 데살로니가후서, 디모데전
서, 디모데후서, 디도서 빌레몬서라

복음으로 의롭게 되며, 믿는 자 들에게 서신통한 연결고리
복음적이고 , 선교적이고, 목회적 이라
열정과 애정을 느끼게 함으로 가슴이 뜨거워지네
로마와 스페인 선교를 위해, 로마교회를 복음의 반석위해 세
우고 이단에게 보호하기 위해 기록하신 것이라

복음은 하나님의 의를 나타내는 능력
덫에 갇힌 죄인들을 위해 예수님의 죽으심과 부활하심으로
우리를 새로운 신분인 하나님의 자녀 된 선물을 주시고
의롭다하심의 칭의을 선언하신 것이라

바울의 성도들을 향한 애끓는 마음으로 사랑하는 현장에서
쓴 글이라. 생명력과 생동감이 있는 살아있는 서신이라.

그러므로 남을 판단하는 사람아 누구를 막론하고 네가 핑계하지 못할 것은 남을 판단하는 것으로 네가 너를 정죄함이니 판단하는 네가 같은 일을 행함이니라. (로마 2:1)

(하나님의 심판)

복음은 모든 이들에게 필요한 것
하나님의 거룩한 심판의 대상이라

유대인에게나 헬라인에게나 이방인에게나
목사에게나 장로에게나 불신자에게나
이는 먼저 내게 복음이 필요하다는 것이라

남을 판단하는 것은 스스로 자신을 정죄하는 것
판단하고 있는 나의 죄가 더 심각할 수 있다는 것
하나님은 진리대로 판단하시며, 행한 대로 보응하시네

우리의 은밀한 것까지 판단하시는 하나님의 안목으로
나 자신을 판단하여 보라 하시네

하나님께 긍휼하심과 용서를 구하고 회개 하는것
믿음의 법으로 그리스도의 공로를 의지할 수밖에는 없으리

무릇 표면적인 유대인이 유대인이 아니요 표면적 육신의 할
례가 할례가 아니니라. (로마 2:28)

(마음의 할례)

유대인들 하나님의 위치에 있는
자신을 자랑하네

의롭지 못함을 알면서도 불구하구
하나님의 뜻대로 인도하여야 할 책임의 역할이지만
율법을 범하므로 하나님을 욕되게 하네

언약의 외적인 표현 할례,
이는 하나님과 함께하는 언약의 표현이라

세상 누구도 율법을 지킬 수 없는 것이기에
할례는 마음의 언약 백성이 되어야 함이라
속사람의 변함이 참 할례라

그러므로 율법의 행위로 그의 앞에 의롭다 하심을 얻을 육
체가 없나니 율법으로는 죄를 깨달음이니라 (로마 3:20)

(헛된 연륜)

영적인 유익을 놓치고 있지는 않은지
중직자들 말씀의 풍성한 은혜를 누리고 있는지

유대인이나 지금의 우리들은
말씀의 걸림돌이 되지는 않은지

율법을 바로 알면 죄를 깨닫는 게 올바른 것
율법에 대한 이로움을 알아야 하는데
율법 제시는 하지만 인도 하지는 못하네

하나님을 알아가는 만큼
죄에 물들어 있음을 알아야 하는데
하나님만 바라보는 관점이 필요한 데
헛된 연륜은 무익함을 보게 하네

제6화 6월 묵시

그러므로 사람이 의롭다 하심을 얻는 것은 율법의 행위에
있지 않고 믿음으로 되는 줄 우리가 인정 하노라
(로마 3:28)

(의롭다 하심)

율법은 존재의 목적이며,
삶의 이유이며
지존자의 보물이시라

죄인인 우리
결코 감당할 수 없기에
평안할 수 없네

존재적인 죄인의 특성 때문에 율법 완전히 지킬 수 없음이라
예수그리스도의 십자가의 대속하심의 승리로 의롭게 되었네

죄 없으신 그리스도께서
율법을 완성하심으로
예수그리스도를 믿어 구원을 얻은 삶

의롭다 함은
율법의 행위에 있지 않고
믿음으로 주심이라

성경이 무엇을 말하느냐 아브라함이 하나님을 믿으매 그것
이 그에게 의로 여겨진바 되었느니라. (로마 4:3)

(징표)

믿음으로 행하는 자들은
그 믿음이 온전하여 지네

아브라함의 믿음 하나님을 믿었기에
의롭다함을 받은 것이라

일하는 자의 삯은 은혜가 아니라
보수로 여겨지네

은혜는 대가없이
그저 주시는 것이라

죄를 용서해 주시고 죄를 덮어주신 사람은 복이 있음이라
용서 받은 자의 축복 아브라함의 할례임이라
하나님의 약속을 믿는 자는 의롭다함을 받은 징표임이라

예수는 우리가 범죄 한 것 때문에 내줌이 되고
또한 우리를 의롭다 하시기 위하여 살아나셨네

선지자 이사야의 글을 드리거늘 책을 펴서 이렇게 기록된 데를 찾으시니 곧 주의 성령이 내게 임하셨으니 이는 가난한 자에게 복음을 전하게 하시려고 내게 기름을 부으시고 나를 보내사 포로 된 자에게 자유를 , 눈 먼 자에게 다시 보게 함을 전파하며 눌린 자를 자유롭게 하고(누가 4:17~18)

(이사야 61장)

예수님을 알고 믿고
순종하는 것이 핵심이라

이는 하나님의 신령한 복을
누리는 것이라

내가 진리이니
나를 따르라 하시네

나를 믿는자는 영원히 목마르지 않는다
나를 따르는 자는 생명의 빛을 얻으리라

나로 말미암지 않고는 구원이 없으리라
어느 누가 이렇게 말 하리요
나의 아버지는 하나이시라

그러므로 우리가 믿음으로 의롭다 하심을 받았으니 우리 주
예수 그리스도로 말미암아 하나님과 화평을 누리자 (로 5:1)

(의롭다 하심)

예수님의 의가 우리를 의롭다 하시네
신분이 바뀐 인식이 변화되는 삶으로 거듭남이라

하나님과 더불어 평화를 누리니
참 인격적인 관계를 누림이라

성령으로 하나님의 사랑을 우리마음속에
부음 바 부어주셨기 때문이라

의롭다 하심은 근본적인 삶을 바뀌게 하는 것
의로운 삶은 죄악과 거리를 두게하네

의롭다 하심으로 은혜를 주셔서
그리스도 안에서 영생을 누리게 하는 것이라
의에 종이 되길 소망 합니다.

이와 같이 너희도 너희 자신을 죄에 대하여는 죽은 자요 그리스도 예수 안에서 하나님께 대하여는 살아있는 자로 여길지어다 (로마 6:11)

(여기는 믿음)

하나님께서 우리 안에 주신 십자가의 복음
우리 안에서 이루어지네
하나님께 기뻐하시는 방향으로 나아가세

그리스도의 모든 것이 우리의 모든 것
예수의 부활 생명이 우리의 새 생명
죄에 대해서 죽은 우리 주님과 동행하는 영광스러운 은혜라

예수님의 죽음과 부활에 연합된 우리는 새로운 신분의 존재
예수님의 보혈로 속량 되었기에 내 삶은 예수님의 것
죽어야 죄에서 벗어나는 것이라
하나님의 법을 갈망하며 속사람이 강해지길 기도하네

그리스도와 함께 죽음으로 새 생명으로 살게 되는데
그리스도의 죄 값으로 주신 나의 발걸음은
어디로 향하고 있는 가 되돌아보네.

죄의 삯은 사망이요 하나님의 은사는 그리스도 예수 우리
주 안에 있는 영생이니라 (로마 6:23)

(의의 종)

그리스도의 대속으로 인하여
새 생명 살게 하심이라

그리스도가 내 안에 계심으로
내 자신이 죽는 것이라

죄로부터 해방됨으로
의의 종이 된 것이라

거룩함에 삶의 열매는
영원한 생명이라

옛사람은 죽고 속사람으로 거듭나니
죄의 삯은 사망

하나님의 선물은 주안에서 누리는 영원한 생명
죄에 대한 자유 함은 있으나

죄에 대하여 죽지 않음으로 유혹에 빠지는 우리
성령의 인도하심을 전적으로 구하여야 함이라

그런즉 우리가 무슨 말을 하리요 율법이 죄냐 그럴 수 없느
니라 율법으로 말미암지 않고는 내가 죄를 알지 못하였으니
곧 율법이 탐내지 말라 하지 아니 하였더라면 내가 탐심을
알지 못하였으리라 (로마 7:7)

(율법과 죄)

율법의 역할은 죽은 사람에게서 구속력이 없네
율법은 죄가 살아있음을 깨닫게 하네

율법은 거룩하고 의로우며
선하며 하나님의 성품을 닮은 것이라
이는 죄를 알기 위함이라
탐심과 선하심을 구별하게 하심이라

율법에 대하여 죽음 당하신
예수그리스도로 말미암아
새 생명으로 거듭남에 감사와 영광을

육신으로 살면 죽고 성령으로 살면 살리라
복음은 죄의 문제를 해결하고
진노의 자녀가 사랑받는 자녀로 변함이라

오호라 나는 곤고한 사람 이로다 이 사망의 몸에서 누가 나를 건져내랴 (로마 7:24)

(곤고한 사람)

내적 모순과 갈등을 격고 있는 자신을 본다.
십자가와 연합 열매 맺어 의의 옷으로 갈아입게 하신 주님

곤고한 이에게
새 생명으로 거듭나게 하시니 감사할 뿐

하나님의 사랑에 반응하는 영적감각 과
속사람이 하나님의 법에 속하여 살아가지만
완전한 거룩함의 부족함을 건져주시는 이
마음속에 육적인 죄가 있기에 선함을 알아갑니다

그리스도의 온전한 성품에 함께 하지 못함을 고백하며
하나님의 자녀의 깊은 곳에 죄의 습성이 있음을 고백합니다.
율법의 선함을 인도하며 죄를 알게 하심에 감사합니다.

이는 그리스도 예수 안에 있는 생명의 성령의 법이 죄와 사
망의 법에서 너를 해방하였음이라 (로마 8:2)

(생명의 성령의 법)

믿음으로 의롭다함을 얻은 복음
율법의 권세는 우리의 문제이며
이는 그리스도의 십자가이며 성령의 역사하심이라

성령님은 우리의 연약함을 도우시며,
모든 위험과 환란에서 보호하시며 건져주시어
영광스런 삶을 살게 하도록 말없이 탄식 하시네

죄와 사망의 법은 율법이라
죄를 깨닫게 하시며
끊임없이 죄를 보여 주시네

그리스도 안에 있는 생명의 성령의 법이 해방되게 하시며
그리스도 안 에서 결코 정죄함이 없기에
탕자도 돌아올 수 있었던 것이라

곧 육신의 자녀가 하나님의 자녀가 아니요 오직 약속의 자
녀가 씨로 여기심을 받느니라 (로마 9:8)

(약속의 자녀 약속의 말씀)

그리스도에게서 끊어질지라도 하나님의 말씀 전하려는 바울
이에 양자 영광 언약 율법 예배 약속 6가지 축복을 주시네

이스라엘에서 났다고 다 이스라엘이 아니요
아브라함의 씨가 다 그의 자녀가 아니라

다만 이삭에게서 태어난 자만이 자손이라 부르시네
곧 약속의 자녀가 참 자손으로 여겨주심을 받은 것이라

성령과 약속은 언약백성으로 연결 되는 것
성령으로 허락하신 믿음으로만 가능 하네

긍휼이 여길 자를 긍휼히 여기심이라

바로의 완악함은 하나님이 은혜를 배푸시지 않은 것
진노의 자녀였던 저에게 긍휼의 은혜를 주심에 감사 합니다.

이 그릇은 우리니 곧 유대인 중 에서뿐 아니라 이방인 중에
서도 부르신 자니라 (로마 9:24)

(하나님의 진노와 긍휼)

구원은 하나님의 주권과 선택에 의한 것
토기장이 이신 하나님 귀하게
천하게 쓸 그릇을 만드시니
긍휼의 그릇과 진노의 그릇이라

진노의 그릇이라도
오래 참으심으로 관용하시며
유대인이나 이방인이나 막론하고
주님의 긍휼히 여김을 받는 대상되게 하시네

하나님의 주권에 선택에 감사할 뿐
진노의 자녀를 한없는 은혜로 품어주심이라
하나님을 알게 하고
영광을 돌리게 하는 성품을 주심에 감사하네

믿음으로 말미암는 의는 이같이 말하되 네 마음에 누가 하
늘에 올라가겠느냐 하지 말라 하니 올라가겠느냐 함은 그리
스도를 모셔 내리게 함이요, 혹은 누가 무저갱에 내려가겠느
냐 하지 말라 하니 내려가겠느냐 함은 그리스도를 죽은자
가운데서 모셔 올리려는 것이라
(로마 10:6~7)

(믿음에서 난 의)

이미 복음이 있었는데 믿지 않음을 비유하심이라

하나님 대신 의지하는 걸림돌들은 무엇일까
자신의 의를 세우기 위해 있는 것은 없었는지
사도바울도 헛된 열심이라 하였네

율법의 마침은 예수 그리스도라
율법은 몽학선생 초등 교사라
온전히 믿고 시인 할 때 구원에 이름이라

성령은 결코 죄를 합리화 하지 않으시고
그 죄를 정리 하시네

성화의 길도 하나님의 은혜가 없으면 될 수 없는 것
오늘도 죄를 깨닫게 하심에 감사 합니다.

만일 은혜로 된 것 이면 행위로 말미암지 않음이니 그렇지
않으면 은혜가 은혜 되지 못하느니라 (로마 11: 6)

(하나님의 은혜)

하나님께서는 자기 백성을 버리신 것이 아니라
백성이 하나님을 버리신 것이라
엘리야가 바알과 대적할 때
하나님은 너만 있는 것이 아니라 하시며
바알에게 무릎 꿇지 않는 칠천명을 남겨 두셨네

하나님을 기억하는 자들이 있음이라
오직 은혜는 행위 때문이 아니라 그 값은 지불능력 없는
자신임을 알게 될 때 은혜가 은혜 되는 것
하나님의 전적인 주권이며 은혜의 계획 때문이라

참감람나무(유대인) 돌감람나무(이방인)는
어디에 접붙임을 받는가가 중요함이라
오직 뿌리이신 예수그리스도께 붙임 받아야 되리

복음의 부요함과 풍성함은 믿음으로
그리스도와 하나 되게 하시네
은혜가 은혜 되기 위해서는 은혜를 세어보세

하나님의 은사와 부르심에는 후회하심이 없느니라
(로마 11:29)

(후회 없는 부르심)

하나님의 신비는
그리스도에게 접붙임을 받는 것이라

율법, 혈통에 의해 접붙임을 받는 것이 아니라
하나님의 은혜의 능력이라

은혜는 하나님께로 부터만 가능하니
신비로운 것이라

하나님의 부르심에는 변함의 없으시고,
끝까지 인도 하시며,
순종의 기쁨을 알도록 하시기에 후회함이 없네

측량할 수 없기에 영광이며,
감탄 할 수밖에, 감사 무한 감사

아브라함의 하나님 나의 하나님 이시며
나를 쓰시고 섭리하시는 하나님이 되신 것을 찬양합니다.

우리가 한 몸에 많은 지체를 가졌으나 모든 지체가 같은 기
능을 가진 것이 아니니 (로마 21:4)

(분별하는 새 생활)

지체들이 다 같은 기능을
가진 것이 아니라

다림줄은 하나님 나라로
신분이 전환된 성도라

세상을 사는 것이
하나님 안에서 이루어지네

하나님과 상호교제 소통하는 삶이 성도의 삶이라
하나님과 연계된 삶이 하나님께 드리는 삶이라
구별됨을 인식하여 드리는 것이 관계의 회복이라

오직 예수그리스도로 옷 입어야
사랑은 율법의 완성이라

사랑에 감격하여 살아가는 삶
마음 안에 십자가 계심이 분별하는 새 생활이라

하나님의 나라는 먹는 것과 마시는 것이 아니요 오직 성령
안에 있는 의와 평강과 희락이라 이로써 그리스도를 섬기는
자는 하나님을 기쁘시게 하며 사람에게도 칭찬을 받느니라.
그러므로 우리가 화평의 일과 서로 덕을 세우는 일을 힘쓰
나니 (로마 14:17~19)

(배려)

실천적 구원의 방향과 행위를 통하여
복음 가운데 변화되게 하시네

강한 믿음은 은혜로 족한 믿음이라
약한 믿음은 행위로 인한 믿음이라

사랑은 모든 것을 이김이며
연약한 이에게 비판하지 말고 받아 주는 것
이것이 교회의 본질이라

연약한 자를 위로하고 사랑하는 것
진리의 공동체라

예수그리스도의 낮아지심, 사랑, 배려가 향기니
화평의 일과 서로 덕을 세우는 일에 힘씀으로
배려의 사랑을 품고 나아가리라.

믿음이 강한 우리는 마땅히 믿음이 역한 자의 약점을 담당하고 자기를 기쁘게 하지 아니할 것이라 우리 각 사람이 이웃을 기쁘게 하되 선을 이루고 덕을 세우도록 할지니라
(로마 15: 1~2)

(덕을 세우라)

이웃의 유익을 위해
자신의 유익을 희생할 수 있어야 함이라

믿음이 강한 우리라면 조건 없이
그것도 항상 자신의 기쁨을 희생해야 함이라

저 하늘 영광 버리고 이 땅에 오셔서
자기의 모든 것을 희생하신 예수그리스도
하나 됨을 위해 서로 같은 뜻을 같도록 하기 위함이라

인내와 안위의 하나님 우리도 인내와 안위로 함께 함이
예수님 본받아 한마음 한뜻으로
복음을 이해하고 쓰임 받기 원함이라

모든 기쁨과 평강을, 믿음 안에서 충만하게 함으로
소망이 넘치기를 원하심이
오늘도 연약한 자를 감당하는 삶을 살길 원함이라.

이는 마게도냐와 아가야 사람들이 예루살렘 성도 중 가난한
자들을 위하여 기쁘게 얼마를 연보 하였음이라.
(로마: 15:26)

(순종. 나눔. 기도)

격려하고 칭찬하는 마음을 갖는 것
직분자의 도리

하나님이 주신 은혜에 힘입어
새롭게 나아갑니다.

하나님께 축복 받은 것
영광중에 영광이라

하나님의 뜻을 이루시는 것은
하나님에 대한 순종

충만한 복음을 통한
하나님의 사랑을 나눔의 기쁨누리네

하나님의 뜻이 이루어지기를 기도합니다.

지혜로우신 하나님께 예수 그리스도로 말미암아 영광이 세세무궁하도록 있을지어다 아멘. (로마 16:27)

(위로와 권고)

각각의 하나님의 자녀들을 생각하며
36명 동역자들에게 문안하며 감사함으로 공동체를 이룸이라

동역은 복음임을 나타냄이라 거룩한 입맞춤으로 인사하라
동역은 하나님 나라를 이루는 아름다운 동산 정원이라
동산에는 축복 아름다음 기쁨 주님의 일 사랑이 꽃 피우네

하나님의 자녀들의 면면을 생각하며 감격하고 은혜에 감사
예수 그리스도의 사랑 안에서 모두가 가족 됨을
알게 함으로 격려 위로가 됨이라

분열과 올무가 있는 징후를 분별함으로
동조하지 않기를 깨어 있으라 하시네

분열을 늘 경계하며 살피고 미혹되지 않도록 경계하리
옳음과 다름을 구별하는 지혜가 필요하네

진리 안에서 바로서서 선한 일에 전진하며
악한일 에는 미련(순진)하리라.

(맛 집 예수)

다림줄의 본질 오직 예수라
부활이 없다면 믿음도 헛된 것이라
우리의 모든 것을 걸어도 되는 분
생명으로 풍성하게 하실 분

불교경전, 공자의 지혜와 교훈, 사서오경
세상사는 맛난 집이라, 이리저리 다녀보네
오늘은 윤리도덕, 내일은 인복, 재복,
다가졌어도 여전히 허전함을 느끼네

여기저기 맛집 들 입맛을 돋으며
보기도 먹기도 좋은 것 같아 취하나
몸속에서 트러불이 일어나니
진정 건강 식단인가 생각하네

참 건강은 주안에서의 강건 함이라
생명의 성령의 법을 따름이라
복음의 참 맛나를 주기위해 율법을 주셨네
복음의 맛 집 예수그리스도의 집이라

〔결혼 1 주년 (지혼식)〕

모태에서부터 설레임을 않고 키웠지만
때가되니 떠났네

새로운 관계의 끈을 따라 떠나니
아쉬움이 앞서 마음이 허전했네

꽃향기 따스한 봄날 해마다 오지만
올봄 꽃망울 더 진한 여운 생각나게 하네

주님 예정한 가정 축복의 통로
행복이 늘 함께 하길 바라네

주님의 그늘아래 피하는 가정
천국의 모형을 이루는 가정이 되길 소망하네

- 아들 결혼 1주년을 맞이하여 2023.3.20-

(추   모)

비가 내린다
하늘 비는 대지를 적시고
마음 비는 눈물로 생각을 적시네

비구름 운해는 눈썹까지 내려와
산을 이리저리 옮기는데
님은 하늘 보좌위에서 나만 바라보라 하시네

금주산 자락에도 빛내려 하늘 문 열리겠지
묘비 위 새똥은 자신의 흔적을 내었지만
이내 하늘비로 온데간데없네.

지난 시간 아름다운 그리움이
지금의 나에게 기지개 켜니
반석 위에 소망을 담게 하네

2023.5.27 고 김민광 목사 묘참배

(하나 됨)

삼위하나님 삼위일체 한분이시네
믿음 소망 사랑도 하나라
교회됨의 가치는 하나가 되는 것
성령이 하나 되게 하심을 힘써 지켜야 하네

겸손함은 서로 용납하고 용서함이라
죄는 자기중심에 놓게 함으로 분열과 다툼을 만드네
교만은 질투를 낳게 하고 공동체를 파괴 하네
십자기를 통해서 겸손을 알게 하시며 하나 되게 하시네

온유함은 강함을 깨뜨리고 부드럽게 하며
유약한 삶이 아니라 내적인 강함이라
온유함은 산상수훈의 삶이라
온유함의 완성은 십자가로 하나 되게 하시네

오래 참음은 참고 또 참는 것
하나 됨 위함이라
고통을 견딤으로 인내와 사랑의 선물을 받네
하나 됨은 공동체가 되는데 절대적이라

(다양성)

각 사람의 분량대로
모든 지체가 각기 다른 기능을 가졌네
고유한 생명체로 조화를 이루라 하시네

맛 집은 맛은 있지만 건강을 책임지는 것은 아니라
사람중심 소비자로 남는 것 세상적이라
교회는 하나님 중심 오직 그리스도라

바울은 바나바가 없었다면 바울이 되었을까
지혜와 섬김이 은혜로 풍성함을 받음이라
성령이 다양성 안에서 하나 되게 하셨네

(자라남)

교회는 팀 집단이 아니라 생명체
교회는 규모 크기가 아니라 영혼이며
교회는 눈에 보이지 않는 생명의 유기체라

모래위의 걸음은 더디며, 그릇이 작으면 넘어지네
온전함은 눈에 보이지 않는 성숙
온전함이 선행됨으로 속사람이 변화되어 가는 것

모세80년 여호수아 40년
온전해져야 온전함이 됨이라
걸 작품은 하나님께서 계획하신 것이라

진리에 눈을 뜨는 기쁨
안개 속에서 주님을 보는 것
지식 중에 지식 그리스도를 아는 것이라

바울은 온전함은 온전하지 않음을 전제하니
머리되신 그리스도와 함께하며
예수님처럼 자라기 원하네

(공동체)

하나님을 아버지로 섬기는 가족
생명체로 공동체를 이루시네
공동체는 다양성이 존재하는 한 몸이라

성부 성자 성령 삼위의 공동체
영적인 에너지를 공급 받는 곳
성경은 공동체적이라

나에게 주신 게 아니라
우리에게 주시는 말씀이네
축복은 공동체에게 주는 것이라

(무지)

죄에 대한 무지
하나님에 대한 무지
무지는 옳고 그름을 모름이라

마음이 굳어져 있음으로
총명이 없어지며
영적인 일에 반응이 없음이라

하나님을 알되
은혜가 없으니 죄를 죄로 모르며
하나님을 영화롭게 하지 않음이라

(옥 토)

내 성품이 옥토가 되고 싶네
부드럽고 찰진 주님의 손길 느끼며
아멘으로 씨앗을 받아들이네

비바람이 치나, 태풍이 불어와도
불기둥, 구름기둥 따라 은 나팔 소리 들으며
마음에 겸손히 씨뿌리네

내 성품 옥토가 되고 싶네
닫힌 마음 돌짝밭 거두고
심술 불평 많은 가시덤불 던져
의와 평강과 희락의 열매 맺으리

이른비와 늦은비 내리니
새벽이슬 백향목 뿌리내려 백합화 피네
시절마다 시절마다 열매 맺고 싶네

(육지에서 조금 때니)

육지에서 조금 때니
평온한 마음이 달콤하게 깃든다.
참새들의 지저귐이 들린다

육지에서 조금 때니
따스한 햇살이 웃음을 머금게 한다.
고마운 마음 물밀 듯 찾아온다

육지에서 조금 때니
세상 행복 지극히 잠시
오래 머물지 않음을 알게 되네

육지에서 조금 때니
천지 만물을 창조하신 이의 소리가 들린다
너는 내 사랑하는 아들이라

(깊은 데로 가라)

광야 가운데 있게 하는 이유가 무엇일까
깊은 데로 가기 위함 일까
깊은 곳은 순종의 시험을
지나야 볼 수 있는 것일까

깊은 순종은 무엇일까
아마도 갈등, 힘듦 가운데에서도
순종하는 것이겠지

순종은 익숙하지만
낯선 명령을 따르는 것이라는데
깊은 묵상이 나를 감싸네

한 틈 사이 밝음조차
창조주의 뜻임을
깊은 묵상 가운데 알게 하네